100 PREGUNTAS Y 100 RESPUESTAS

DINOSAURIOS
Y OTROS ANIMALES PREHISTÓRICOS

Texto
John Cooper

Dirección
Nicola Wright

Diseño
Chris Leishman

Ilustración
Peter Bull

EDITORIAL MOLINO

John A. Cooper, Licenciado en Ciencias, Miembro de la American Medical Association y de la Sociedad Geológica, es Conservador del Museo de Historia Natural de Brighton, en el que se ocupa de responder las preguntas de los niños sobre los dinosaurios. Ha trabajado también en el Museo de Leicestershire y en el Museo Carnegie de Historia Natural de Pittsburg, EEUU, en el que ha preparado dinosaurios para su exhibición.

Creador de la serie: Tony Potter
Directora de diseño: Kate Buxton
Cubierta: John Butler
Producción: Zoë Fawcett
Traducción: Silvia Serra

Publicado en lengua castellana por
EDITORIAL MOLINO
Calabria, 166 - 08015 Barcelona
Marzo 1994
ISBN: 84-272-3471-6

Sumario

Este libro responde a todas vuestras preguntas sobre los dinosaurios y su largo reinado en la Tierra. Está repleto de datos sobre estas fascinantes criaturas.

¿Qué dinosaurios fueron los de mayor tamaño, los más pequeños, los más listos, los más tontos? ¿Qué aspecto tenían las crías de los dinosaurios? ¿Sabían caminar, correr y nadar los dinosaurios? ¿Y volar? Éstas son sólo algunas de las preguntas contestadas por nuestros expertos en dinosaurios.

Descubrid cómo unen los científicos los restos fósiles de los dinosaurios para reconstruir sus esqueletos. Además en el libro hay muchísimas sugerencias sobre cómo hallar vuestros propios fósiles y dónde conseguir más información.

Diplodocus

Reptiles muy primitivos fueron los **Longisquama** que vivieron en Asia hace 240 millones de años. Medían sólo 15 cm de largo y sobre el lomo lucían unas escamas tiesas altísimas.

Los dinosaurios vivieron hace millones de años. Eran reptiles, grupo de animales en el cual figuran hoy las serpientes y los lagartos, las tortugas, los cocodrilos y los caimanes.

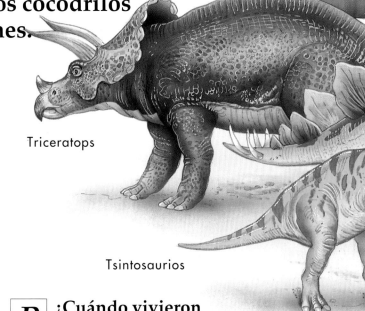

Triceratops

Tsintosaurios

P ¿Cuántos tipos de dinosaurios hay?

R Los científicos han dividido a los dinosaurios en varios grupos:

 TERÁPODOS Todos los dinosaurios carnívoros de dos patas comían carne, como el **Tiranosaurio**.

 SAURÓPODOS gigantescos dinosaurios herbívoros, como el **Apatosaurio** y el **Diplodocus**.

 ORNITÓPODOS Dinosaurios herbívoros más pequeños que andaban sobre dos patas, como el **Iguanodón**, y los dinosaurios o hadrosaurios con pico de pato, como el **Tsintaosaurio**.

 CERATÓPSIDOS dinosaurios con cuernos, como el **Triceratops**, todos herbívoros.

 ESTEGOSAURIOS dinosaurios acorazados con grandes plancha; eran herbívoros y andaban sobre cuatro patas.

 ANQUILOSAURIOS Acorazados también como el **Nodosaurio**; al igual que los **Estegosaurios**, eran herbívoros y andaban sobre cuatro patas.

 PAQUICEFALOSAURIOS Este nombre significa «cabeza dura» y describe un grupo de dinosaurios de calaveras muy gruesas.

P ¿Cuándo vivieron los dinosaurios?

R Los dinosaurios vivieron en el Mesozoico, llamado también Edad de los Reptiles. El Mesozoico duró desde hace 228 millones de años hasta hace unos 64 millones. Nadie ha visto jamás a un dinosaurio vivo; el más antiguo de nuestros antepasados no apareció en la Tierra hasta hace cuatro millones de años.

P ¿Fueron los dinosaurios los primeros reptiles?

R Antes de los dinosaurios, vivieron muchísimos otros reptiles. El más antiguo reconocido por los científicos fue hallado en Escocia en 1989, en capas sedimentarias de 335 millones de años de antigüedad.

Tanistrofeus fue un primitivo reptil de 3 m de longitud que vivió hace 250 millones de años. Su cuello era increíblemente largo.

La posición rastrera de un reptil primitivo (izquierda) y las patas verticales de un dinosaurio erguido (derecha).

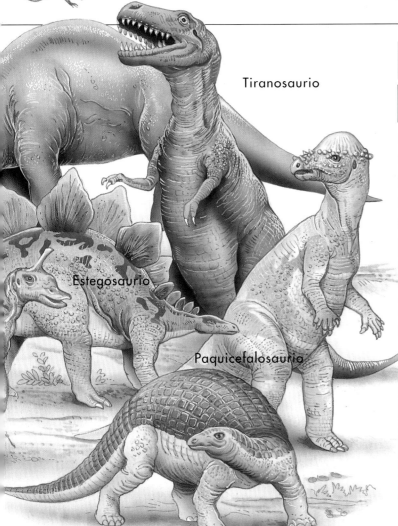

Tiranosaurio

Estegosaurio

Paquicefalosaurio

Nodosaurio

P ¿De dónde procedían los dinosaurios?

R Las huellas fósiles demuestran que un grupo de reptiles que vivía en Argentina hace 230 millones de años desarrollaron una nueva forma de desplazarse. En vez de arrastrar sus pisadas como los cocodrilos, empezaron a andar con las patas en posición más vertical, como los dinosaurios. El antepasado más antiguo de todos los dinosaurios quizás haya sido el *Lagosucus*.

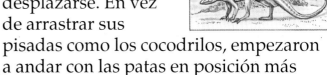

P ¿Cómo se diferencia a los dinosaurios de otros reptiles fósiles?

R Dos cosas muy importantes hay que tener en cuenta: en primer lugar, todos vivieron en tierra firme. Y en segundo lugar, caminaban sobre dos patas erguidas. Los demás reptiles, vivos o fósiles, caminaban o caminan de un modo distinto.

P ¿Todos los dinosaurios vivieron en la misma época?

R Los dinosaurios vivieron por todo el Mesozoico. En distintas épocas vivieron diferentes tipos de dinosaurios.

P ¿Cuál es nuestro dinosaurio más antiguo?

R El que se cree es el dinosaurio más antiguo del mundo fue hallado en Argentina en 1991. Se le llama *Eoraptor* y vivió hace 228 millones de años. Medía más de un metro de longitud; quizá tuviera el tamaño de un perro grande. En Sudamérica se han encontrado dinosaurios antiquísimos y quizá se descubran otros más antiguos aún que el *Eoraptor*.

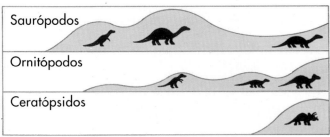

Saurópodos

Ornitópodos

Ceratópsidos

228-130 m.a. *   130-95 m.a. *   95-64 m.a. *
(*) millones de años atrás..

Numerosos restos de esqueletos de **Plateosaurio** han sido hallados en Europa occidental. Seguramente se desplazaban en manadas.

¿Dónde vivieron?

En todos los continentes se han encontrado fósiles de dinosaurios, incluso en la Antártida. Pero desde que aparecieron sobre la tierra estos animales, la posición de los continentes ha cambiado mucho.

P ¿Vivió algún tipo de dinosaurio por toda la Tierra?

R Ningún tipo de dinosaurio vivió por todas partes. Algunos tipos fueron más comunes que otros. Los *Plateosaurios* pertenecían a un grupito primitivo llamado *prosaurópodos* de los que se han encontrado parientes muy próximos en África del Sur, Sudamérica, Alemania y EEUU.

P ¿Cuándo vivieron los *Tiranosaurios*?

R El *Tiranosaurus rex* es el más conocido. Pero hay pocos esqueletos y la mayoría muy incompletos. Fueron hallados en EEUU, la mayoría en Montana.

Plateosaurios

P ¿Se han encontrado dinosaurios por todo el mundo?

R No, aunque sí en muchos lugares. Los más famosos han sido hallados en lo que hoy es EEUU, y en Sudamérica, Canadá, Tanzania, Mongolia, China, Australia e India, así como en muchos países europeos.

Todavía hoy en día se desplazan los continentes de la Tierra. América y Europa se distancian entre sí con la velocidad a la que crecen las uñas.

La parte superior de las calaveras de los paquicefalosaurios y parientes próximos tenía un grosor... ¡de hasta 25 cm! Se supone que, para defender y conservar la jefatura de la manada, tendrían lugar unas tremendas riñas a cabezazos.

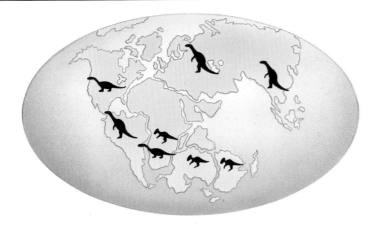

P ¿Cómo pudieron vivir en distintos continentes dinosaurios del mismo género? ¿Cruzaron a nado los océanos?

R Durante muchos millones de años no necesitaron hacerlo. Los continentes se habían estado separando lentamente desde su formación. Hoy restos de *Braquiosaurios* pueden ser hallados en dos continentes: África y América. Pero cuando vivían, ambos continentes estaban unidos aún.

P ¿Tenían hogar los dinosaurios?

R Los de mayor tamaño quizá tuviesen lugares de descanso favoritos al borde de los bosques o bajo acantilados. Los pequeños tal vez sentaran sus reales en sitios que les protegiesen más de sus enemigos.

P ¿Vivían siempre los dinosaurios en el mismo lugar?

R Los dinosaurios herbívoros quizás emigrasen en busca de nueva vegetación.

P ¿Hubo dinosaurios en la helada Antártida?

R El clima de la Tierra era mucho más benigno durante el reinado de los dinosaurios. El continente que hoy llamamos Antártida se hallaba mucho más cerca del ecuador. ¡Los dinosaurios no verían jamás un iceberg! Los reptiles no sobreviven a los climas muy fríos.

La primera vez que Gideon Mantell mostró sus dientes de dinosaurio a otros científicos, los identificaron como ¡colmillos de rinoceronte!

A principios del siglo diecinueve, se hallaron unos extraños fósiles al sur de Inglaterra. Sin duda pertenecían a criaturas enteramente nuevas para la ciencia. En realidad nadie sabía que aspecto podían tener aquellos animales.

P **¿Dónde fueron hallados los primeros dinosaurios?**

R Gideon Mantell, un médico de Sussex, encontró unos dientes de *Iguanodón* en 1822. Y en 1824, William Buckland describió unos huesos del que llamó *Megalosaurio*, que había descubierto unos años antes. Tras este descubrimiento, mucha gente se lanzó a la caza de fósiles de esos nuevos lagartos gigantes.

El **Iguanodón** se ganó este nombre porque sus colmillos parecían gigantescas versiones de la iguana marina de las Galápagos.

P **¿Por qué nadie los había descubierto antes?**

R Sabemos que, con anterioridad, se encontraron huesos de dinosaurio, pero nadie advirtió que hubiesen pertenecido a enormes reptiles extintos. ¡Uno de los huesos se creyó que pertenecía a un gigante humano!

P **¿Por qué tienen esos nombres tan divertidos los dinosaurios?**

R A cada tipo de dinosaurio se le da un nombre sacado de dos lenguas antiguas, el latín y el griego. Generalmente el nombre significa algo que de algún modo describe a la criatura. *Megalosaurio* quiere decir «gran lagarto». Los científicos de todas las nacionalidades utilizan los mismos nombres.

Durante siglos, los pies negros del Canadá creyeron que los huesos de dinosaurio que hallaban ¡eran restos de sus antepasados!

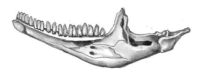

Durante más de 2.000 años los científicos chinos han coleccionado dientes de dinosaurio. Creían que provenían de dragones. Tras molerlos y convertirlos en polvo, los utilizaban para sus medicamentos.

P Al encontrar los primeros huesos de dinosaurio, ¿qué aspecto creyeron que tendrían estos animales?

R Gideon Mantell dibujó la primera reconstrucción de dinosaurio en 1835. Al principio creyó que el *Iguanodón* tenía que haber sido un gigantesco lagarto de 21 m de longitud. Hoy sabemos que medía 10 m. En 1854, en los jardines del Palacio de Cristal de Londres, se modelaron varios dinosaurios a tamaño natural. Todavía queda allí el *Iguanodón*, ¡muy parecido a un rinoceronte!

P ¿Cuándo fue hallado el primer esqueleto completo de dinosaurio?

R Su descubrimiento fue además uno de los más espectaculares. En 1878 fueron hallados casi 40 esqueletos de *Iguanodón* en una mina de carbón belga.

El **Megalosaurio** fue el primer dinosaurio que tuvo un nombre científico.

P ¿Quién dio su nombre a los dinosaurios?

R Dinosaurio significa «lagarto terrible». El nombre se le ocurrió en 1842 a un famoso científico llamado Richard Owen.

P ¿Cuál fue el primer dinosaurio que se halló en Norteamérica?

R En Norteamérica se han hallado gran número de dinosaurios. El primero fue un primitivo *saurópodo* llamado *Anquisaurio* que se descubrió en Manchester, Connecticut. ¡Algunos fragmentos descubiertos en 1818 fueron tomados por humanos! Pero en 1855 se consideró que pertenecían a un reptil.

¡La clavícula del **Supersaurio** medía 2 metros y medio!

Al reconstruir los dinosaurios, los científicos no estaban seguros de haber puesto los huesos en el lugar acertado hasta que se descubrieron esqueletos completos. ¿Pero se puede saber qué aspecto tiene un animal solo por su esqueleto?

P Al reconstruir los científicos un animal jamás visto, ¿cómo saben dónde deben poner cada hueso?

R Por los conocimientos que tienen de otros animales. Aunque durante años cometieron muchos errores. ¡Y el *Apatosaurio* llevó una cabeza errónea durante casi 100 años porque lo habían hallado sin ella!

P ¿Los dinosaurios eran gordos o flacos?

R Es difícil decirlo, pues sus restos pertenecen a las partes duras, por lo general los huesos y los dientes. Los actuales herbívoros, tales como los elefantes, los hipopótamos o nuestras vacas, poseen grandes barrigas, y seguramente los dinosaurios herbívoros las tenían también. Los dinosaurios más pequeños serían más ágiles y tendrían que ser más flacos para desplazarse con rapidez. Dibujantes y científicos tienen que recurrir a comparaciones de este tipo para formarse una idea del aspecto de los diversos dinosaurios.

Al comenzar el siglo, algunos científicos creyeron que las patas del **Diplodocus** se abrirían a los flancos como las de los lagartos. ¡Pero entonces el pecho hubiera dejado su huella en el suelo!

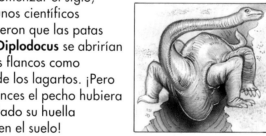

P ¿Cuál fue el dinosaurio más pequeño?

R El dinosaurio más pequeño quizá fuera el *Compsognatus*. El animal adulto mediría unos 70 cm, en su mayor parte pertenecientes a una larga cola.

Compsognatus

El **Mamenquisaurio** medía 22 m de longitud, ¡de los cuales 10 m correspondían al cuello! Vivió en China hace 160 millones de años.

Gideon Mantell creyó que un extraño hueso en forma de lanza que había encontrado debía de ser un cuerno de la nariz del **Iguanodón**. ¡Resultó ser la uña del pulgar!

P **¿Qué aspecto tenía la piel del dinosaurio?**

R Se han hallado algunos restos fósiles de piel de dinosaurio. Es rugosa, seca, impermeable y está hecha de pequeñas escamas redondeadas. A veces es como una plancha de blindaje.

P **¿Cuál fue el dinosaurio de mayor tamaño?**

R El mayor esqueleto encontrado es el de *Braquiosaurio*: 12 m de altura, 23 m de longitud y 70 toneladas de peso. El de mayor longitud es de *Diplodocus* cuyo esqueleto alcanza los 27 metros. Pero algunos restos hallados en Colorado y en Nuevo México podrían pertenecer a dinosaurios aun mayores: *Supersaurio*, *Ultrasaurio* y el mayor, *Seísmosaurio*, fueron gigantescos. El *Seísmosaurio* tiene que haber sido muy parecido al *Diplodocus*. Aunque con más de 36 m de longitud y 130 T de peso, habrá sido el mayor animal que haya vivido jamás sobre la Tierra.

P **Si nadie ha visto jamás a un dinosaurio, ¿cómo pueden estar seguros de que aciertan al reconstruirlo?**

R Nunca podremos conocer con certeza el aspecto que tuvieron los dinosaurios. Los científicos todavía discuten cuál fue la imagen de muchos dinosaurios. Incluso algunos tan conocidos como el *Iguanodón* pueden parecer muy distintos cuando los dibujan en diferentes posiciones.

P **¿De qué color eran los dinosaurios?**

R Eso no nos lo dicen ni siquiera sus pieles fósiles. Los reptiles modernos, sobre todo los lagartos, adoptan una maravillosa variedad de colores y dibujos, y los dinosaurios podrían haber disfrutado de igual colorido. Pudo ser importante tener grandes manchas de color para reconocerse mutuamente y desplegar señales de advertencia. Seguramente los grandes dinosaurios herbívoros llevaron algún camuflaje. ¿Pero habríamos podido adivinar el aspecto de las cebras por sólo sus huesos?

Brachiosaurio

Diplodocus

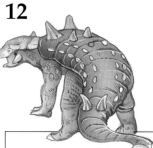

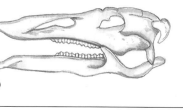

El **Euoplocéfalus** noqueaba a sus adversarios con el mazo óseo que llevaba al extremo de su cola.

Algunos dinosaurios solo comían vegetales y otros solo carne. A los primeros se les llama herbívoros y a los segundos carnívoros.

Algunos dinosaurios llegaron a tener 2.000 dientes.

P ¿Sólo comían vegetales los dinosaurios?

R La mayoría de los dinosaurios comía vegetales. El enorme *Saurópodo*, el mayor de todos, es el más conocido. Tenía cuerpo, cuello y cola muy largos, y cabeza pequeña, con muelas especiales para masticar hojas. Gracias a su largo cuello podía alcanzar árboles muy altos.

Los dinosaurios no comieron hierba. La hierba no apareció en la Tierra hasta después de su extinción.

Diplodocus

P ¿Cómo se puede saber qué comía un dinosaurio?

R Las pistas más importantes nos las dan los fósiles de las muelas y las quijadas. Los dientes curvos,

estrechos y afilados pertenecen a carnívoros como el *Tiranosaurio*. Los dinosaurios herbívoros tenían dientes planos y trituradores, como el *Cámarasaurio*, o afilados para morder, como los del *Iguanodón*, o picos como los *ceratópsidos* para arrancar las hojas.

P ¿Cómo se protegían los dinosaurios de los ataques de sus enemigos?

R Para muchos, su piel era un auténtico blindaje. Consistía en un cuero muy duro, con cuernos y pinchos.

Estegosaurio

Los dinosaurios herbívoros tragaban también piedras para moler con ellas las hojas que comían.

Defecaciones fósiles de dinosaurios han servido a los científicos para descubrir lo que comían. ¿Pero cómo saber a qué dinosaurio corresponde cada escremento?

P ¿Cómo mataban los dinosaurios?

R Los dinosaurios carnívoros tenían afiladas garras, así como afilados dientes: ambos habrían sido buenas armas para ellos. Y algún gran carnívoro, como el *Tiranosaurio*, quizás usara su pesada cabeza como mazo aplastante

P ¿Se comían los dinosaurios entre sí?

R Los carnívoros más veloces perseguirían a otros dinosaurios para comérselos.
Tal vez cazaran en manadas, como las hienas. Dentro del esqueleto de un *Coelófisis* adulto fue hallado el de una cría de la misma especie. Los dinosaurios pesados como el *Tiranosaurio* serían demasiado lentos para perseguir presas veloces, y quizá comiesen dinosaurios más lentos o muertos.

P ¿Cuánto comían los dinosaurios?

R Los dinosaurios herbívoros pasaban la mayor parte del tiempo comiendo para poder alimentar sus cuerpos. ¡Los *Diplodocus* ingerían una tonelada de hojas al día! Los carnívoros no precisaban comer tanta cantidad.

P ¿Qué otros animales podían comer los dinosaurios?

R Pequeños reptiles, aves, peces e insectos alimentaron a los dinosaurios.

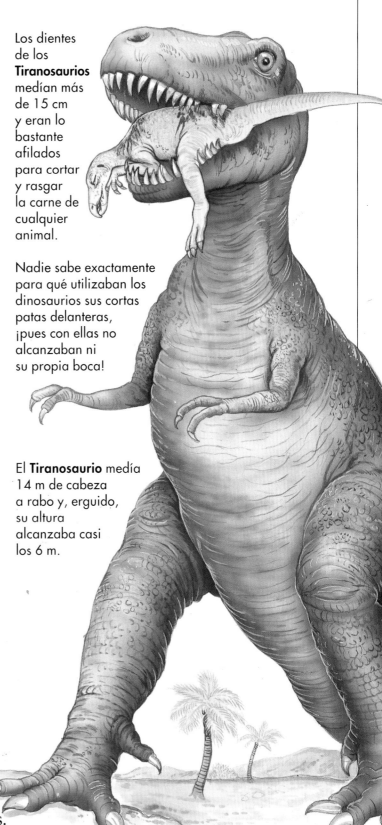

Los dientes de los **Tiranosaurios** medían más de 15 cm y eran lo bastante afilados para cortar y rasgar la carne de cualquier animal.

Nadie sabe exactamente para qué utilizaban los dinosaurios sus cortas patas delanteras, ¡pues con ellas no alcanzaban ni su propia boca!

El **Tiranosaurio** medía 14 m de cabeza a rabo y, erguido, su altura alcanzaba casi los 6 m.

La disposición de los huesos en los tobillos y pies de los dinosaurios muestra que, a excepcion de *Saurópodos* y *Estegosaurios*, podían correr. ¡Y las huellas demuestran que lo hicieron!

Driosaurio

Ceratosaurio

P **¿Podían correr muy de prisa los dinosaurios?**

R Las huellas de los *Tiranosaurios* revelan que éstos pudieron sobrepasar la velocidad de un rinoceronte a la carga y quizá llegar a los 50 km por hora. El más veloz fue un pequeño dinosaurio que andaba a dos patas y cuyas huellas revelan que pudo alcanzar los 70 km/h, aunque no sabemos qué dinosaurio fue. Los grandes saurópodos, como el *Apatosaurio*, se desplazaban sólo a unos 4 km por hora.

P **¿No dejaron otras marcas que sus pisadas, los dinosaurios?**

R En muy pocos casos se han hallado huellas de la cola de los dinosaurios. En general, y pese al gran tamaño de algunas colas, las mantenían en alto en casi todas sus acciones.

Al igual que los leones cazan cebras, los dinosaurios carnívoros cazaban a los herbívoros; los carnívoros corrían para atrapar a su presa y los herbívoros para escapar.

P **¿Podían saltar los dinosaurios?**

R En una ocasión se creyó que ciertas huellas podrían haber sido dejadas por un dinosaurio saltarín, pero hoy se cree que las dejó una tortuga en aguas poco profundas. ¡Se han hallado pisadas de dinosaurios faltos de algún dedo, y alguno cojo! Los científicos creen que al menos los *terápodos* podían saltar, aunque no lo prueban sus pisadas. El 95 % de los rastros pertenecen a dinosaurios que caminaban.

Las huellas fósiles nos dan pistas tanto sobre la forma de sus pies como sobre el peso y la velocidad de los dinosaurios. A veces también hay huellas de su piel.

Aunque muchos dinosaurios corrían velozmente, quizá no podían prolongar mucho su carrera antes de caer agotados.

P ¿Dónde se han hallado huellas fósiles?

R Hay unos mil lugares por todo el mundo donde han sido hallados pisadas de dinosaurio. Uno de los más famosos es el rancho Davenport, en Texas, en capas sedimentarias de 100 millones de años de antigüedad. Se han encontrado miles de pisadas allí y en sus alrededores.

P ¿Existen huellas de dinosaurios jóvenes?

R Uno de los grupos de huellas de Texas contiene pisadas dejadas por 23 dinosaurios saurópodos que parecen haberse desplazado en manada. Muchas de ellas son muy pequeñas, seguramente de verdaderas crías. Los miembros más corpulentos del grupo viajaban al frente y a los lados de la manada, y los pequeños en el centro, bien protegidos.

P ¿Cómo pueden fosilizarse las pisadas?

R Al cruzar por playas o charcas fangosas, los dinosaurios dejaron huellas de sus pisadas, como hacen aún hoy muchos animales. Si el sol seca ese barro, las próximas corrientes o mareas cubrirán con nuevo barro las huellas, y quedarán así preservadas.

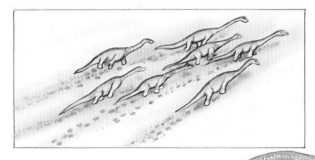

P ¿Cuáles fueron los dinosaurios más veloces?

R Los dinosaurios que corrían más de prisa eran pequeños y flacos y tenían dos largas patas traseras. Herbívoros muy veloces fueron el *Ipsilofodón* de Inglaterra y el *Lesotosaurio* del Sur de África.

Lesotosaurio

Los **Plesiosaurios** tenían cuellos largos, cuerpos cortos y miembros en forma de anchas palas, como las actuales focas.

Al igual que los modernos animales terrestres como elefantes, hipopótamos o búfalos, los dinosaurios gozaban remojándose y nadando.

P ¿Hubo dinosaurios anfibios?

R Eso es lo que se creía al principio. Parecía que los dinosaurios más pesados, como el *Braquiosaurio* y el *Apatosaurio*, eran demasiado grandes para soportar su propio peso, y que por ello tenían que vivir en el agua. Pero luego los científicos han calculado que los anchos huesos de sus patas eran suficientemente fuertes para sostenerlos fuera del agua.

P Si el monstruo del lago Ness existiera realmente, ¿no sería un dinosaurio acuático?

R Si alguna vez se le hallase y pudiera probarse que es un reptil, seguramente sería un *Plesiosaurio*, un *Ictiosaurio* o un *Pliosaurio*. Todos ellos eran reptiles marinos, y no dinosaurios, pues éstos sólo vivieron en tierra firme.

P ¿Había dinosaurios que vivieran en el agua?

R Seguramente no, aunque las ideas cambian. Antes se creía que los largos cuellos de dinosaurios como el *Mamenquisaurio* eran útiles para respirar aire desde aguas profundas. Por desgracia, a estas profundidades (10 m o más) la presión del agua hubiese impedido el funcionamiento de sus pulmones.

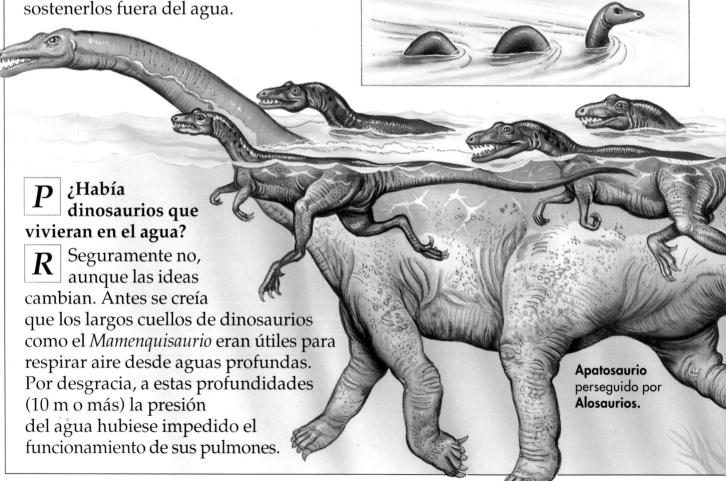

Apatosaurio perseguido por **Alosaurios**.

El **Ictiosaurio** se parecía a los modernos delfines y tiburones.

Muchos animales terrestres actuales, como perros, elefantes, osos polares e incluso las vacas, saben nadar, sin necesidad de tener aletas ni dedos palmeados. Así que los dinosaurios podrían haber sabido nadar tan bien como ellos.

P ¿Vivieron los reptiles marinos en la misma época que los dinosaurios?

R Durante todo el reinado de los dinosaurios, el *Ictiosaurio* y el *Plesiosaurio* fueron muy comunes por todos los mares de la Tierra. Hubo muchas clases de ellos, como el *Pliosaurio* y el *Elasmosaurio*. El de mayor tamaño fue un *Pliosaurio* australiano llamado *Cronosaurio* que llegó a alcanzar los 13 metros.

P ¿Los dinosaurios flotaban?

R Pese al gran tamaño de alguno de ellos, no hay razón para suponer que los dinosaurios no flotaran. Un juego de huellas de *Brontosaurio* ¡sólo muestra pisadas de sus patas delanteras! Se diría que el dinosaurio flotaba en el agua y para darse impulso sólo usaba sus patas delanteras.

P ¿Podrían haberse alimentado los dinosaurios debajo del agua?

R Es posible, pues las plantas acuáticas eran un buen alimento. Los dinosaurios con dientes débiles, como el *Anquilosaurio*, podrían haberse alimentado de vegetación acuática, como los hipopótamos. El largo tubo a modo de cresta del *Parasaurolofus* podría ser una especie de *snorkel* para respirar mientras se alimentaba debajo del agua.

P ¿Poseían aletas algunos dinosaurios para nadar mejor?

R Uno, al menos, quizá sí. Una familia de los *Compsognatus* hallados en Alemania parece haber tenido unas patas delanteras en forma de aletas. Nadie lo sabe con certeza, pero quizás las utilizaran para nadar más velozmente y cazar sus presas o escapar de sus perseguidores.

¿Volaban los dinosaurios?

El **Longisquama** planeaba por los aires con sus largas alas escamosas.

Los esqueletos de algunos dinosaurios pequeños eran casi idénticos al del *Arqueópterix*, el ave mas antigua que se conoce. Los dinosaurios antepasados de las aves tienen que haber desarrollado la facultad de volar o planear en distancias cortas.

P ¿Volaba muy bien el Arqueópterix?

R Seguramente, no. Sus músculos, comparados con los de las actuales aves, eran débiles, y ellos pesaban mucho más. Pero probablemente podía aletear bastante bien, y su cola cubierta de plumas sería un buen timón para maniobrar en largos planeos por el aire.

P ¿Cómo consiguieron sus plumas los dinosaurios?

R Las escamas de algunos reptiles como las serpientes y los lagartos podrían haberse convertido con el tiempo en «plumón» para conservar el calor en el cuerpo de pequeños dinosaurios. Sólo más tarde descubrirían que servían también para volar.

P ¿Cómo aprenderían a volar los dinosaurios?

R Al igual que muchos animales actuales (monos y ardillas, por ejemplo), quizás unos dinosaurios pequeños y cubiertos de plumas empezaron a saltar de árbol en árbol y a planear después, para perseguir a sus presas o escapar del peligro.

El **Arqueópterix** fue descubierto en Alemania en capas sedimentarias de hace 150 millones de años. Junto a sus huesos fósiles hay claras huellas de plumas que forman dos alas y una cola.

El dodó vivió en la isla Mauricius, en el océano Indico. Al no poder volar, resultó presa fácil de los cazadores y su especie se extinguió a fines del siglo XVI.

P ¿Cómo pudieron volar esos gigantescos dinosaurios?

R El *Tiranosaurio* no volaría jamás, seguro. Pero algunos pequeños dinosaurios carnívoros, como el *Compsognatus* y el *Ornitolestes*, eran muy pequeños, tenían unos huesos huecos y ligeros, y podían correr velozmente. Quizá para cazar lagartos y pequeños insectos empezaran a elevarse en el aire.

P ¿Hay fósiles de otras aves?

R Los fósiles de aves son muy raros: sus huesos ligeros y huecos no se fosilizan bien. Entre las muestras halladas hay aves parecidas a grandes golondrinas de mar, avestruces, águilas y el *dodó*.

P ¿No es el Pteranodón un dinosaurio volador?

R No. Aunque vivieron en la Tierra en la misma época que los dinosaurios, el *Pteranodón* pertenece a un grupo de reptiles voladores llamados *Pterosaurios*.

Pteranodon

P ¿Cómo aprendieron a volar los *pterosaurios* antes que los dinosaurios?

R Los esqueletos de los reptiles voladores más antiguos se parecen a los de los antiguos reptiles carnívoros que vivieron antes que los dinosaurios. Sus esqueletos eran muy ligeros y quizás esos reptiles aprendieran a subirse a los árboles y a planear.

Al hallar huevos de dinosaurios no siempre es posible afirmar qué dinosaurio los había puesto.

¿Cómo tenían hijos los dinosaurios?

Todas las criaturas se reproducen y los dinosaurios no fueron una excepción. Se cree que, al igual que la mayoría de los reptiles, los dinosaurios ponían huevos.

P ¿Se han encontrado huevos fósiles de dinosaurio?

R Sí. Los primeros aparecieron en el desierto de Gobi, en Mongolia, en 1921. Estaban ordenadamente dispuestos en sus nidos y fueron hallados junto a esqueletos del pequeño dinosaurio con cuernos llamado *Protoceratops*.

P ¿Ponen huevos todas las hembras de dinosaurio?

R Se han hallado huevos fósiles junto a saurópodos, ceratópsidos y varios otros dinosaurios. Sin embargo son muy raros, y de la mayoría de los dinosaurios no se han hallado huevos fósiles. Aunque en general los científicos creen que todas las hembras de dinosaurio ponían huevos.

P ¿Qué aspecto tienen los huevos de dinosaurio?

R A diferencia de los actuales reptiles, parece que los dinosaurios pusieron huevos de cáscara dura. Los huevos hallados enteros tienen usualmente forma oval, con uno de sus polos muy rugoso. En el caso del *Protoceratops* medían unos 20 cms y en sus nidos había 30 o más a la vez. Otros huevos suelen medir entre 120 y 170 mm (del tamaño de huevos de avestruz).

Una madre **Maiasaurio** con sus crías.

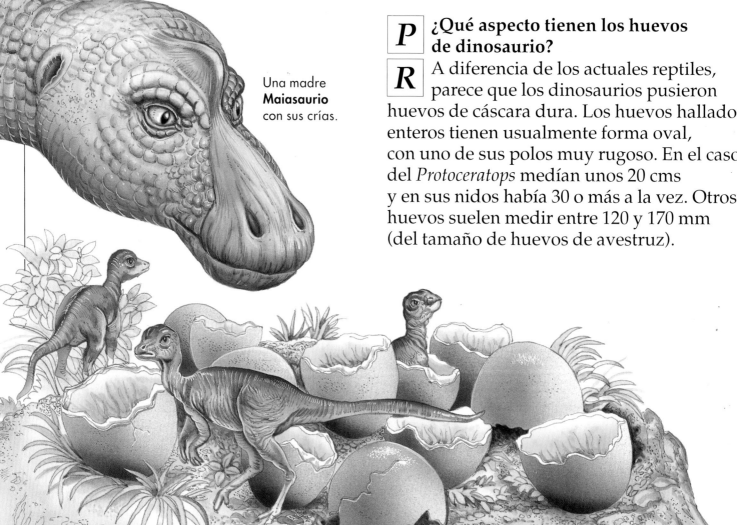

Huevos de los dinosaurios **Orodromeus** y **Troodón** han sido examinados con rayos X; contienen los huesecitos fosilizados de sus embriones.

Algunos fósiles de **Casmosaurio** nos lo muestran en manadas, formando círculos alrededor de sus pequeños para protegerlos de los ataques.

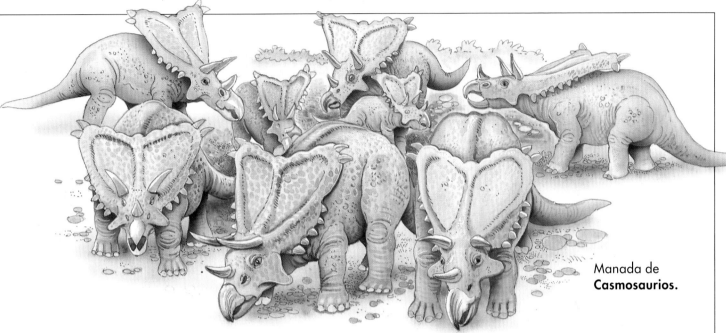

Manada de **Casmosaurios.**

P ¿Eran buenos padres los dinosaurios?

R Incluso el más fiero de los actuales cocodrilos es un padre abnegado, que protege y alimenta a sus retoños. En Montana se encontraron restos de crías de *Maiasaurio*: aunque sus dientes muestran desgaste por el uso, las crías estaban aún en sus nidos. Debieron de haber sido alimentadas por sus padres hasta ser lo bastante crecidas para dejar el nido.

P ¿Cómo distinguían a sus padres de sus madres los pequeños dinosaurios?

R Que un dinosaurio fosilizado fuera macho o hembra, los científicos sólo pueden suponerlo. En los lugares en donde se han hallado juntos varios esqueletos unos eran mayores que otros: ¿Serían los de los machos? ¡Aunque sus crías conocerían la diferencia, seguro.

P ¿Se han hallado fósiles de bebés de dinosaurio?

R El más pequeño de los esqueletos de dinosaurio mide 20 cm sólo... ¡el tamaño de un mirlo! Se le ha llamado *Mussaurio* (lagarto-ratón), aunque en realidad es el de una cría muy pequeña de un dinosaurio desconocido aún. Entre los esqueletos de otras crías de dinosaurio tenemos los de *Protoceratops*, *Maiasaurio*, *Psitacosaurio* y *Coelófisis*.

Cría de **Maiasaurio**

P ¿Ponían huevos gigantescos los gigantescos saurópodos?

R El huevo más pesado alcanzó los 7 kg: muy poco comparado con las 20 toneladas del *Saurópodo*!

¿Es este el aspecto que hubiese tenido el **Estenonicosaurio** si hubiese continuado su evolución?

¿Eran muy tontos los dinosaurios?

Los hallazgos del *Apatosaurio* y del *Diplodocus* sorprendieron a sus autores por el reducido tamaño de las cabezas de estos dinosaurios comparadas con sus cuerpos. Se dijo entonces que, con unos cerebros tan pequeños, no podían ser muy inteligentes. Aunque hoy no estamos tan seguros.

P ¿Cuál fue el dinosaurio más listo?

R A igualdad de tamaños, el *Estenonicosaurio* debió de ser el dinosaurio más brillante. En proporción, su cerebro era como el de aves y mamíferos, y mayor que el de los cocodrilos.

P ¿Un cerebro mayor significa que un dinosaurio era más listo?

R El cerebro controla la conducta y los sentidos, así como la inteligencia. Los pequeños dinosaurios carnívoros tenían cerebros grandes comparados con el tamaño de sus cuerpos. Por eso tenían una visión excelente, se desplazaban con rapidez y aprendían fácilmente a atrapar a sus presas.

Estenonicosaurio

El cerebro del **Estegosaurio** chino **Tuojiangosaurio** pesaba sólo entre 70 y 80 gramos.

Tuojiangosaurio

Hombre

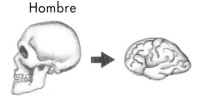

P ¿Era grande el cerebro de los dinosaurios?

R Para tratarse de reptiles, la mayoría de los dinosaurios parecen tener un cerebro grande. Los carnívoros, pequeños y rápidos, poseen los mayores cerebros, aunque quizás el mayor de todos corresponda al *Tiranosaurio*. Y el *Estegosaurio* tenía seguramente el más pequeño: ¡como una nuez!

P ¿Cómo se mide el cerebro de un dinosaurio?

R A veces, cuando el barro envolvía la cabeza de un dinosaurio después de su muerte, llenaba también la cavidad cerebral. Resultado: ¡un fósil de cerebro! Se han podido distinguir en ellos distintas zonas del cerebro, así como orificios para nervios y arterias.

Tuojiangosaure

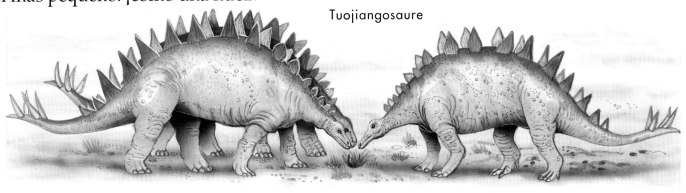

P ¿Qué dinosaurios fueron los más tontos?

R Los *saurópodos* tienen el récord de cerebros pequeños. Aunque, a pesar del tamaño de sus cerebros, fueron lo bastante buenos para sobrevivir como grupo durante 150 millones de años.

P ¿Poseían los enormes saurópodos cerebros enormes?

R No necesariamente. Los cerebros no siempre guardan proporción con los cuerpos. Depende de lo que hiciera el dinosaurio. Cuanto más activo fuera, mayor sería su cerebro para alcanzar reacciones más rápidas.

P ¿Tienen grandes cerebros los actuales reptiles?

R Promediando, los cerebros de cocodrilos son similares a los de los dinosaurios de parecido tamaño. Los de los actuales mamíferos son diez veces mayores que los reptiles actuales.

Cocodrilo

Algunos científicos creen que el **Barosaurio** podría haber tenido hasta 8 corazones para poder bombear la sangre por su largo cuello.

¿Cómo funcionaba su cuerpo?

Corazón de Barosaurio

La carne y los órganos de todos los animales se pudren tras su muerte. Para entender como funcionaban los cuerpos de los dinosaurios, los científicos tienen que basar sus teorías sobre muy pocas pruebas.

P ¿A qué se parecía la sangre de los dinosaurios?

R Como los actuales animales, los dinosaurios necesitaban sangre que transportase oxígeno, calor y alimento a todo su cuerpo. Seguramente su sangre se parecería mucho a la nuestra. Y para bombear esa sangre necesitarían corazones. Los de los dinosaurios más grandes tenían que ser enormes para bombear sangre a cabezas que se hallaban a 25 m sobre el suelo.

P ¿Cuál era la temperatura normal de un dinosaurio?

R Es difícil averiguarlo con certeza. Hoy los reptiles conservan el calor de sus cuerpos con baños de sol. Eso limita sus movimientos en tiempo frío, por lo que la mayoría de reptiles vive en climas cálidos. Mamíferos y aves sacan el calor del alimento. Si los dinosaurios fueron tan activos como creemos, quizá fuesen capaces de hacer los mismo. Los mayores dinosaurios, después de haber conseguido entrar en calor, ¡seguramente no volverían a enfriarse!

Barosaurio

P ¿Conservaban los huesos fósiles sangre fósil en ellos?

R Por desgracia la sangre no se fosiliza, pero algunos conductos óseos para la sangre sí lo hacen. Huesos de dinosaurio examinados al microscopio revelan que se parecen más a los de los mamífcros actuales que a los de los actuales reptiles de sangre fría. Eso significa que los dinosaurios pueden haber sido mucho más activos que sus actuales parientes.

P ¿Cómo podemos saber qué músculos tenían los dinosaurios?

R Los músculos van adheridos a los huesos. Por eso los huesos conservan las cicatrices del punto donde se sujetaban. El tamaño y la posición de estas marcas en los huesos de los dinosaurios permite que los científicos reconstruyan la forma de las patas, las caderas y los hombros. Además los reptiles actuales facilitan buenas pistas.

La espina dorsal del **Uranosaurio** proyectaba largos huesos hacia fuera. Debía de cubrirlos la piel para formar una «vela» y serviría para calentar o enfriar su cuerpo según se expusiera o no esta vela al sol.

El **Galimimus** tenía unos ojos muy grandes. Y esos ojos se sujetaban a sus cuencas por medio de unas anillas de placas óseas de las que se han hallado muchas.

P ¿Cómo olían los dinosaurios?

R Tenían agujeros en la nariz para respirar. Seguramente los utilizarían también para oler. Y algunos dinosaurios, como el *Cámarasaurio*, tenía unos grandes agujeros en la parte superior de la cabeza. Los científicos han creído que les servirían para respirar debajo del agua.

Uranosaurio

Se cree que los agujeros nasales del dinosaurio con pico de pato llamado **Saurolofus** se cubrían con pieles extensibles. Al igual que muchos pájaros actuales, quizás el **Saurolofus** podía hincharlas, y convertirlas en grandes y coloridos globos para advertir a sus rivales o atraer a los del sexo opuesto.

P ¿Eran muy grandes las orejas de los dinosaurios?

R No hay pruebas de que los dinosaurios tuvieran orejas externas como los elefantes, ni siquiera como las nuestras. Como los actuales reptiles y aves, seguramente sus orejas serían visibles en la superficie de sus cabezas y se reducirían a unas marcas circulares en su piel.

P ¿De qué color eran los ojos de los dinosaurios?

R No lo sabemos con certeza, aunque los de los actuales reptiles suelen ser amarillentos y carecen del blanco que rodea nuestros iris. Por las calaveras de los dinosaurios, los científicos pueden decirnos que la mayoría poseía ojos grandes y que por lo tanto seguramente gozaban de muy buena vista.

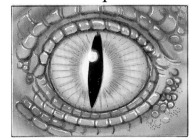

Algunos científicos creen que sólo se han hallado fósiles de menos del 10 % de los tipos de dinosaurios que existieron.

Los fósiles se hallan en capas rocosas formadas de barro y arena dejadas al descubierto por el agua o el viento. Se las llama capas sedimentarias. Un buen comienzo para hallar dinosaurios es identificar capas de la época correspondiente.

P ¿Cómo se convirtieron en fósiles los dinosaurios?

R

Cadáveres cubiertos por las aguas de un río.

Esqueletos enterrados en barro y arena.

Barro y arena petrificada y los huesos fosilizados.

La erosión deja al descubierto los fósiles.

P ¿Cómo se sabe si las capas sedimentarias son lo bastante antiguas para contener fósiles de dinosaurios?

R Con los dinosaurios, vivieron toda suerte de plantas y animales de fósiles muy comunes: helechos, caracoles, peces, conchas de moluscos e incluso insectos. Al reconocer el tipo de capa por sus fósiles, se sabe que los dinosaurios pudieron hallarse cerca.

P ¿Cómo saben los científicos dónde buscar para descubrir un dinosaurio?

R Los fósiles más comunes se hallan en capas sedimentarias formadas bajo el agua, en especial del mar. Los dinosaurios sólo vivieron sobre tierra, por lo que son más raros. Se han hallado en capas sedimentarias formadas cerca de ríos, lagos, costas y también desiertos.

P ¿Dónde se empieza a cavar?

R Normalmente los fósiles se encuentran donde hay capas sedimentarias: canteras, acantilados y montes. Entonces los buscadores de fósiles buscan huesos raros que han sido descubiertos por el viento y la lluvia. El *Barionix* fue descubierto por un hombre que acertó a ver tan sólo una garra en una cantera en plena explotación.

Algunos de los dinosaurios fósiles hallados a principios de este siglo no han sido enteramente extraídos de la capa en que fueron encontrados.

Antes de extraer los huesos de dinosaurio de una excavación se les inmoviliza con yeso blanco o se les forra con espuma de goma para protegerlos durante su viaje hasta el laboratorio.

P **¿Cómo se extrae de la tierra un dinosaurio?**

R Excavar para extraer un dinosaurio no es una empresa fácil. Quizás haya que quitar varias toneladas de piedras con excavadoras y taladros. Y quizás haya que utilizar también martillos y escoplos antes de poder sacar los huesos fósiles.

P **¿Qué se hace con un dinosaurio cuando ya ha sido extraído de la tierra?**

R Los huesos pueden estar rotos y quizá queden en parte ocultos en la capa que los contiene. Son llevados al laboratorio donde se quita cuidadosamente la piedra circundante con utensilios especiales y las roturas son reparadas sin desmayo. Pueden pasar años antes de terminar con la reparación de todos los huesos. Y sólo si se hallan en muy buenas condiciones pueden ser unidos para armar un esqueleto.

P **¿Quedan dinosaurios aún para ser hallados?**

R Aunque es muy raro encontrar un dinosaurio completamente nuevo, el *Barionix* es un dinosaurio distinto a todos y fue hallado en 1982. En Canadá pueden verse millones de huesos de dinosaurio esparcidos por el Parque Provincial del Dinosaurio; y todos los años se encuentran tres o cuatro esqueletos completos.

A menudo los esqueletos de dinosaurio de los museos son en realidad reproducciones en yeso sacadas de moldes de los auténticos. Los fósiles reales son demasiado preciosos para arriesgarse a perderlos.

Esqueleto de **Diplodocus**

Por ser muy raros los hallazgos de esqueletos de dinosaurio completos, con frecuencia se sustituyen los huesos que faltan con vaciados de plástico.

En todo el mundo se pueden coleccionar figuritas, juegos e incluso sellos de dinosaurio.

Al estudio de los fósiles se le llama Paleontología (estudio de la vida antigua). Para convertirse en un buen paleontólogo son precisos muchos años de aprendizaje, pero hay muchos otros modos de interesarse por los dinosaurios.

En un cuaderno, haz un catálogo para recordar cada fósil y lo que sabes de ellos.

P ¿Qué hay que estudiar para convertirse en un experto en dinosaurios?

R Los fósiles son restos de seres vivos, por lo que interesa conocer bien la Biología y la Geología. Las Matemáticas son útiles siempre, y quizá también Física y Química

P ¿Puedes especializarte en dinosaurios en la universidad?

R No hay carreras especializadas en dinosaurios, pero en la licenciatura de Geológicas se estudian los minerales, los fósiles y los procesos que han formado la Tierra, así como en Biológicas puede estudiarse Zoología y estudiar animales vivos, para luego especializarse en dinosaurios.

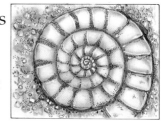

P ¿Cómo puedes hallar fósiles de dinosaurio?

R Es más fácil si vives en una región en donde se sabe existen dinosaurios fósiles... aunque hay que tener mucha suerte además. Los hallazgos más frecuentes de fósiles de dinosaurio consisten seguramente en dientes. Habría que empezar haciendo colección de otros fósiles para adquirir experiencia. En museos y bibliotecas hay libros sobre este tema.

El primer esqueleto de dinosaurio que ha armado el hombre fue un **Iguanodón**, en Bélgica. Fue montado en 1882. Los huesos colgaban de cuerdas suspendidas de un andamio para poder ser movidos hasta el lugar que pareciese más adecuado. Luego se fijaron a una estructura de hierro.

P ¿Qué necesitas para buscar fósiles?

R Para partir la piedra son útiles martillo y escoplo. Y tu equipo protector debe ser: guantes para operar con el martillo, gafas para las esquirlas y casco protector de la cabeza, especialmente en los acantilados.

Pintores y maquetistas deben trabajar muy unidos a los paleontólogos si quieren que sus vaciados parezcan auténticos. Los músculos son modelados cuidadosamente sobre los contornos del esqueleto y, al añadir la piel, la forma será lógicamente la adecuada.

P ¿Qué debes hacer si encuentras un fósil?

R Sácalo con sumo cuidado y envuélvelo en papel de cocina o similar. Anota dónde y cuándo lo has hallado. En casa, límpialo de suciedad con un cepillo seco. Si no basta, prueba con un poco de agua. Cuando se haya secado, ponle un número para poderlo registrar en el catálogo de tus descubrimientos. Y guarda tus fósiles en un «nido» de papel dispuesto en una caja o en un cajón.

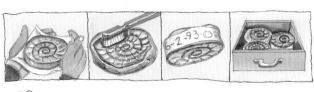

Triceratops

P ¿Qué consejos hay para el coleccionista de fósiles?

R No cojas fósiles sin el permiso del propietario del terreno.

No cojas fósiles en acantilados ni canteras. Es mucho más seguro hacerlo en bloques desprendidos.

No seas codicioso en exceso: deja algunos para los demás.

Cambia los fósiles no muy buenos por otros mejores, si los encuentras.

P ¿A quién puedes pedir ayuda?

R Visita el museo más cercano y pregunta si hay un geólogo entre su personal. Si has coleccionado fósiles, puede ayudarte a identificarlos. Y quizás averigües si existe allí alguna sociedad geológica, pues sus miembros suelen ser coleccionistas empedernidos. Ellos podrán facilitarte la información más reciente sobre dinosaurios.

La teoría mas popular sobre la desaparición de los dinosaurios es la de que un meteorito de casi 10 km de anchura chocó con la Tierra.

Ya no hay dinosaurios vivos. Uno de los mayores enigmas de la historia de la vida en la tierra es por qué se extinguió este grupo de animales que había triunfado ampliamente.

P ¿Cuándo se extinguieron los dinosaurios?

R En todo el mundo, las capas pétreas de unos de 70 millones de años de antigüedad contienen fósiles de dinosaurio. Es sorprendente que 5 ó 6 millones de años después no quede un solo superviviente.

P ¿Cuál fue el último tipo de dinosaurio superviviente?

R No siempre es fácil saber si unas capas en una región de la Tierra son algo más jóvenes que otras de otros lugares. Por eso no sabemos si algunos dinosaurios vivieron más que otros que se hallaban a unos millares de km más allá. Pero no hay duda de que los *Tiranosaurios* y los *Triceratops* estuvieron entre los últimos. En Montana (EEUU), paquicefalosaurio llamado *Estiguimoloc* quizás haya sido el último superviviente... aunque sólo se han hallado unos pocos trozos de su calavera.

P ¿Qué puede haber ocasionado la desaparición de los dinosaurios?

R Posibles explicaciones de la desaparición de los dinosaurios:

En broma:	Erróneas:	Serias:
Por aburrimiento (tras 150 millones de años)	Por estreñimiento por las nuevas plantas florecientes	Por la competencia de los mamíferos
Porque sólo quedaron machos o hembras	Porque los mamíferos se comieron los huevos	Por el enfriamiento del clima
Por fumar demasiado	Por enfermedad causada por un virus.	Por reducción del tamaño del cerebro
Porque unas orugas nuevas se comieron todas las hojas	Por agujeros en la capa de ozono causados por radiación	Por las altas temperaturas causadas por el choque de un meteorito

P ¿Qué otros seres se extinguieron a la vez?

R Todos los grandes reptiles marinos: los *Mosasaurios* y *Plesiosaurios*, así como los reptiles voladores. También algunos tipos de moluscos, como el *Amonites* y el *Belemnites*, y un enorme número de plantas marinas microscópicas.

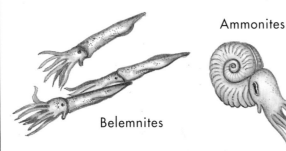

Ammonites

Belemnites

En las capas sedimentarias de la misma época se ha hallado en todo el mundo iridium, elemento común a los meteoritos.

En México se han hallado árboles fósiles mezclados con fondo marino fosilizado, posibles pruebas de enormes maremotos causados quizá por el choque de un gran meteorito.

P ¿Quién sobrevivió a la gran extinción?

R La gran mayoría de plantas y animales. Y con ellos muchos reptiles, como cocodrilos, tortugas y serpientes y lagartos. Las aves y los primitivos mamíferos también sobrevivieron, junto con moluscos, insectos, corales, estrellas de mar y plantas terrestres.

Mapa de México que muestra el probable lugar del impacto del meteorito.

P ¿Y cuál creen los científicos que fue la causa de la desaparición de los dinosaurios?

R Hoy la mayoría de los científicos cree que la muerte de los dinosaurios y de otras muchos animales la causaron dos cosas: en primer lugar, el clima se

México

había enfriado gradualmente. Y luego, hace unos 60 millones de años, muchos creen que un gran meteorito chocó con la Tierra.

P ¿Cómo pudo causar tanto daño un meteorito?

R Si un gran meteorito hubiera chocado con la Tierra habría levantado una gigantesca nube de polvo. Eso habría impedido el paso de la luz durante meses, años quizá, provocando la muerte de animales y plantas.

P ¿Es posible que los dinosaurios vivan en alguna otra parte de la Tierra?

R Aunque a veces se oiga alguna leyenda sobre esto, lo cierto es que nadie puede creer en serio que ni siquiera el más pequeño de los dinosaurios pueda vivir sin haber sido detectado. Pero sus descendientes, las aves, nos rodean aún por todas partes.

Índice alfabético